Por el vecindario

HOUGHTON MIFFLIN   BOSTON

Contenido

TEKS **1.1A** reconocer que las palabras habladas se representan en forma impresa; **1.1D** reconocer los rasgos de una oración; **1.22F** deletrear usando conocimiento silábico/partes de la palabra/segmentación de palabras/división de sílabas

Fonética

Palabras con m y palabras con p Lee las oraciones. Luego, lee las palabras que tienen sílabas con **m** o sílabas con **p**. ¿De qué dibujo crees que habla cada oración?

Este es Momo.

Soy Pepe.

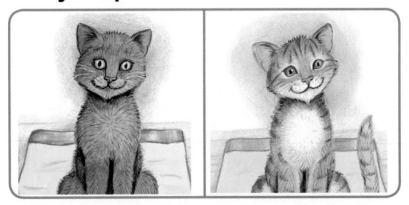

Mamá y Memo

por Dafne Davidson

ilustrado por Rick Powell

¡Mamá!

¡Memo!

Mamá mima a Momo.

Yo mimo a Momo.

¿Y yo?

Mi mamá me mima.

TEKS 1.1A reconocer que las palabras habladas se representan en forma impresa; **1.1B** identificar las letras mayúsculas y minúsculas; **1.21B(2ii)** usar las reglas del uso de las mayúsculas en los nombres de las personas

Letras

Leamos juntos

Identificar letras Los nombres empiezan con una letra mayúscula. Lee los nombres de estos gatitos en voz alta. Señala y di las letras de cada nombre.

Momo **Pipo**

Escribe tu nombre en una hoja de papel. Señala y di cada letra. ¿Qué letra de tu nombre es una letra mayúscula? Nombra las letras que van en minúscula.

9

TEKS **1.1A** reconocer que las palabras habladas se representan en forma impresa; **1.3E(5i)** decodificar palabras por separado incluyendo sílabas abiertas; **1.1B** identificar las letras mayúsculas y minúsculas

Fonética

Palabras con m y palabras con p Lee las palabras desde abajo hacia arriba de la colina. Luego, lee las palabras para ir desde arriba hacia abajo.

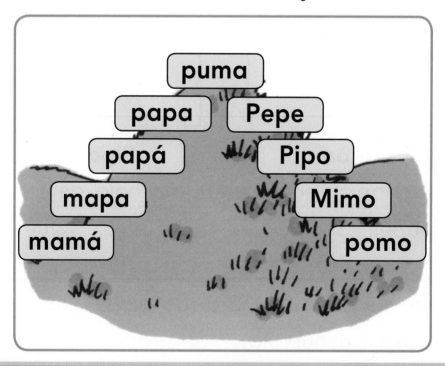

puma

papa   Pepe

papá   Pipo

mapa   Mimo

mamá   pomo

Pipo y Momi

por Dafne Davidson
ilustrado por Lorinda Bryan Cauley

¿Pipo?

Es Pipo.

¿Momi?

Es Momi.

Es Pipo y es Momi.

TEKS **1.1A** reconocer que las palabras habladas se representan en forma impresa; **1.3C** usar el conocimiento fonológico para emparejar sonidos; **1.3D** decodificar la "y" cuando se usa como conjunción

Fluidez

Leamos
juntos

Palabras de uso frecuente

Trabaja con un compañero. Escribe en tarjetas las palabras **y, es, amigo, este, esta, yo, un** y **una**. Túrnense para leerlas en voz alta.

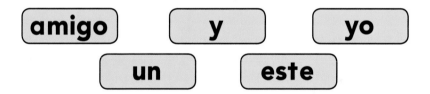

| amigo | y | yo |
| un | este |

Lee cada palabra con claridad.
Lee las palabras que no conoces,
sonido por sonido.

Fonética

Sílabas y palabras con m y p

Lee las siguientes sílabas: **pa, me** y **pi, po**. Luego, une las sílabas para formar dos palabras (Pame, Pipo). Ahora lee las oraciones en voz alta. Luego descubre quién es quién.

Pame toma nota.

Pipo toma el bate.

Mimi, Pepe y Pupi

por Dafne Davidson
ilustrado por Noah Jones

Es Pupi.

Es Mimi.

Es Pepe.

Pepe es mi amigo.

¡Pupi!

Pupi es un amigo.

TEKS 1.1A reconocer que las palabras habladas se representan en forma impresa; **1.1D** reconocer los rasgos de una oración

Escritura

Leamos juntos

Planea la escritura "Mimi, Pepe y Pupi" es un cuento sobre dos amigos que juegan a construir torres de cubos. ¿Qué actividades te gusta hacer en casa o en la escuela?

Escribe Haz un dibujo de una actividad que te gusta hacer. Escribe una oración acerca de tu dibujo. Tu oración puede empezar así: **Yo** _____.
Comparte tu trabajo con un compañero.

Fonética

Palabras con s y palabras con t Lee las oraciones y señala las palabras que tienen **s** y **t**. Di qué ilustración va con cada oración.

Susi toma el mapa.

Este es Tato.

Es de Tito.

Tete y Sisu

por Dafne Davidson

ilustrado por Elizabeth Allen

Eso es de Tete.

¿Es de Sisu?

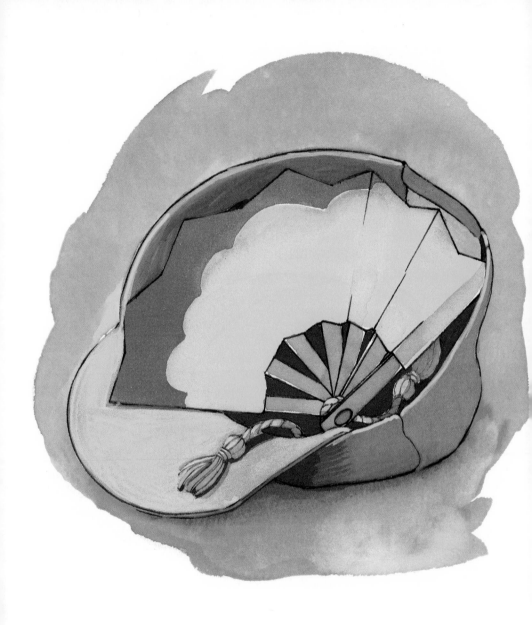

¿Pesa eso?

¿Pesa eso?

¿Pesa el mapa?

Mira a Sisu.

¡Sisu sí pesa!

Tete mima a Sisu.

Fluidez

Signos de puntuación Túrnate con un compañero para leer "Tete y Sisu" en voz alta. Recuerda leer como si estuvieras hablando. Usa estas sugerencias.

Claves de puntuación

- Las oraciones que cuentan algo terminan en un punto.
- Las oraciones que preguntan empiezan y terminan con signos de interrogación.
- Cuando hay signos de exclamación, las oraciones se leen con emoción.

Fonética

Palabras con s y palabras con t Une con una flecha las sílabas de cada columna para formar palabras con **s**, con **t** y con **m**.

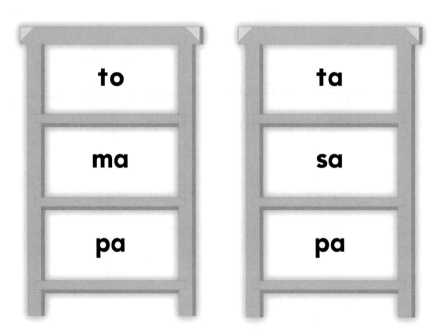

Toma, Tita

por Dafne Davidson

ilustrado por Jeff Shelly

—Toma este, Tita —dice Pepe.

¿Toma Tita el de Pepe?

—Toma esta, Tita.

¡Tita la toma!

¡Mira a Tita!

¡Sí!
¡Tita, Tita, Tita!

Hablar

Compartir Piensa en las siguientes preguntas:

- ¿A qué juegan Pepe y Tita?
- ¿Te gusta jugar al béisbol?

Habla con un compañero acerca de otros deportes que te gusta jugar o mirar. Usa las siguientes sugerencias.

Sugerencias para hablar

- Habla de manera clara y audible.
- No hables demasiado rápido ni demasiado lento.

Fonética

Palabras con s y palabras con t Lee las oraciones incompletas. Ordena las sílabas que aparecen al lado de cada oración para completarlas.

Toto se _____. (a, ma, so)

Sami es mi _____. (a, go, mi)

Pasa, pasa

por Dafne Davidson

Mira. Pasa Tita con Tami.

Pasa Tati.

Pasa Papá con Pati.

Pasa Pepito con Pupo.

Pasa Mamá, Papá, Mimí y yo.

¿Qué pasa? ¡Papo le pasa!

TEKS **1.1B** identificar las letras mayúsculas y minúsculas; **1.21B(1ii)** reconocer las reglas del uso de las mayúsculas en los nombres de las personas

Letras

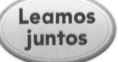

Leamos juntos

Identifica las letras

> Tati   pasa   Tami   papá   Pati

1. Señala los tres nombres que empiezan con mayúscula. Luego, léelos en voz alta.

2. Señala las dos palabras que empiezan con la sílaba **ta**. Ahora léelas. ¿Son esas palabras nombres?

3. ¿Qué dos palabras empiezan con la sílaba **pa**? ¿Empiezan con una letra mayúscula o con una letra minúscula?

Fonética

Palabras con ca, co, cu y palabras con n Lee las palabras. Luego, completa cada oración usando una de ellas. Piensa nuevas oraciones con palabras que empiecen con **ca, co, cu** o **na, ne, ni, no, nu**.

Cuca   casa   coco

Nico tiene una _____.

Nina come un _____.

Cami es amiga de _____.

Coco y Nono

por Alexis Davis

ilustrado por Akemi Gutierrez

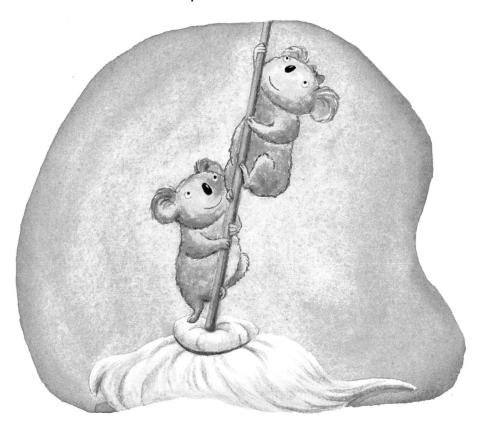

Coco se pone una meta.

Nono se pone una meta.

¿Qué le pasó a Coco?
¿Qué le pasó a Nono?

Coco se pone otra meta.

Nono se pone otra meta.

¿Qué le pasó a Coco?
¿Qué le pasó a Nono?

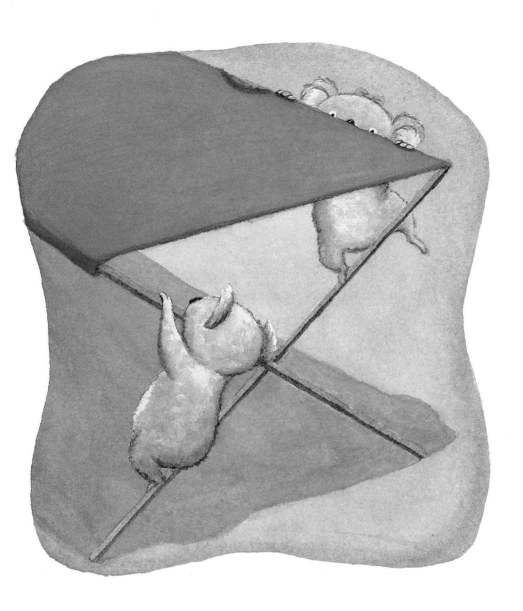

Coco se pone una nueva meta.

Nono se pone una nueva meta.

Es una camita muy cómoda.

¡Es la cama de Coco y Nono!

Patrones de ortografía

Decodificar palabras   Lee las siguientes palabras. ¿En qué se parecen?

> Coco rico nido Nina anida Paco

Haz una tabla   Copia esta tabla:

Palabras con ni	Palabras con co

Escribe las palabras que tienen la sílaba *ni* en la primera columna. Escribe las palabras que tienen la sílaba *co* en la segunda columna.

Fonética

Silabear palabras Lee las preguntas. Luego, señala las palabras con **ca, co, cu** y **na, ne, ni, no, nu,** y léelas sílaba por sílaba. Luego, responde las preguntas.

¿Qué tiene Coco?

¿De qué color es?

¿Qué va a hacer Coco?

Nino no se anima

por Dafne Davidson

ilustrado por Kristin Sorra

Toni se anima.

No tiene un amigo. ¡Tiene muchos!

¿Y qué le pasa a Nino?
Nino NO se anima.

Toni se anima.

Tiene una cosa muy mona.

Nino NO se anima.

Toni se anima.
¡Toca mucha música!

Nino SÍ se anima.

¡Nino come con Toni!

Información sobre el libro

Partes de un libro ¿Quién escribió "Nino no se anima"? ¿Quién lo ilustró? Puedes hallar esa información en el cuento.

Señala el **título** o nombre del cuento. Señala el nombre de la **autora**. Esta es la persona que escribió el cuento. Señala el nombre de la **ilustradora**. Esta es la persona que hizo los dibujos del cuento.

Fonética

Palabras con ca, co, cu y palabras con n Lee las rimas. Luego, señala las palabras con **n** y **con ca, co, cu**. ¿A qué se animan los conejitos?

Nina no mima a Coco.   Coco no camina.

Nina no cose.   Coco no patina.

¡Nina se anima!   ¡Coco se anima!

¡Qué cómico!

por Dafne Davidson

ilustrado por Liz Callen

Es Tina.

Así camina Tina.

Es Tino.

Se mete y no se tapa.

Es Tina.

Anima al amigo, Canino.

Es Tino.

¡Es muy mona su camisa!

Es Tina.

¡Tiene mucha sopa de tomate!

Es Tino.

¡Tiene una cosa muy cómica!

Vocabulario Leamos juntos

Palabras de acción

anota   camina   cose   acuna   patina

Represéntalo   Trabaja con un compañero para escribir las palabras en tarjetas. Luego, túrnense para elegir una tarjeta y representar las palabras. Un compañero representa lo que dice la palabra y el otro trata de adivinar de qué acción se trata. Sigan jugando hasta que ya no queden acciones para adivinar.

Fonética

Palabras con b, palabras con l y palabras con f Lee las palabras que hay en el sendero. Haz una cruz sobre las palabras con **b**, encierra en un círculo las palabras con **l** y subraya las palabras con **f**.

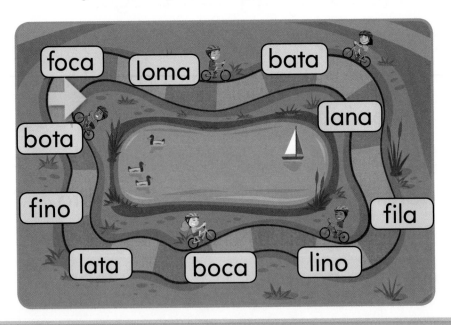

foca   loma   bata   lana   bota   fino   fila   lata   boca   lino

Yo soy tu amigo

por Aiden Brandt

Vienen Cati, Beto, Leni y Elena.

Vienen con un saco.

Yo soy Feli.

Me gusta Lupe.

Lupe es mi amiga.

Yo soy Lalo.

Leti y Alina vienen a mi casa.

¡Qué fabuloso!

Yo soy Benito.

Mamá me pasa la mano
por el pelo.

Mi mamá es mi amiga.

¿Quién es Camilo?
Él es quien pasa a Paco.

Catalina está con Lina,
Felipe y Otelo.

Palabras impresas

Palabras habladas Las palabras impresas son una manera de mostrar lo que se dice. Lee esta oración: Los amigos vienen en saco. Ahora lee lo que dice Beto.

Estar con amigos es fabuloso.

Dibuja y escribe Haz un dibujo de ti mismo hablando con un amigo. Escribe lo que le dirías.

TEKS **1.22C** mezclar fonemas para formar sílabas/palabras; **1.3E (5i)** decodificar palabras por separado incluyendo sílabas abiertas

Fonética

Palabras con b, palabras con l y palabras con f Mira las cajitas y lee las sílabas para formar palabras con **b**, con **l** y con **f**. Luego, piensa más palabras que comiencen con esas sílabas.

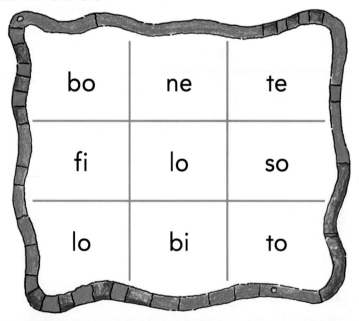

bo	ne	te
fi	lo	so
lo	bi	to

La pelota

por Dafne Davidson
ilustrado por Deborah Melmon

Lino tiene una maleta lisa.

Beto tiene una maleta fina.

Me gusta su maleta.

Lino saca un bate.

Beto saca una pelota.

Lino está al bate.
El bate toca la pelota.
¡Bien, Lino!

¿Toca Lino la base?
Casi, casi.

¿Se acabó? ¡Por fin!

¿Qué saca Lino de su maleta lisa?

¿Qué saca Beto de su maleta fina?

Lino bebe.

Beto bebe.

TEKS **1.1B** identificar las letras mayúsculas y minúsculas; **1.21C** reconocer/usar los signos de puntuación al comienzo/final de las oraciones; **1.21B(1ii)** reconocer las reglas del uso de las mayúsculas en los nombres de las personas

Letras

Leamos juntos

Identificar letras Los nombres empiezan con una letra mayúscula. Las oraciones también empiezan con una letra mayúscula. Aquí tienes una oración sobre Lino:

La maleta de Lino no es fina.

¿Qué palabras empiezan con una letra mayúscula? ¿Qué palabra es un nombre? ¿Con qué palabra empieza la oración? ¿Por qué la palabra maleta empieza con una letra minúscula?

Fonética

Palabras con b, palabras con l y palabras con f Lee las preguntas. Luego, señala las palabras con **l** y con **f**. Responde las preguntas usando las ilustraciones.

¿Qué tiene Fede?

¿Qué tiene Lalo?

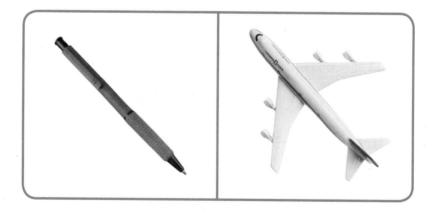

Lolo y Bebo

por Dafne Davidson

ilustrado por Meryl Treatner

Lolo está con Bebo.

¡No, Bebo, no!

¡No, Lolo, no!

Bebo está en el sofá.
Lolo no se sube al sofá.

Lolo y Bebo vienen a mí.

Lolo come.

Bebo bebe.

Por fin, me meto en la cama.

Bebo se mete en su camita fabulosa.

Entra bien. ¡Lolo no cabe!

Escuchar

Escuchar para obtener información Trabaja con un grupo pequeño. Túrnense para hablar acerca de las mascotas que tienen en casa. ¿Qué mascotas les gustaría tener alguna vez? Usa las sugerencias.

Sugerencias para escuchar

- Mira a la persona que está hablando.
- Escucha con atención para oír la información.
- Levanta la mano cuando quieras hablar o hacer una pregunta.

TEKS **1.3E(iv)** decodificar palabras en contexto incluyendo grafías de consonantes; **1.3E(8iv)** decodificar palabras por separado incluyendo grafías de consonantes

Fonética

Palabras con r inicial y palabras con rr   Lee y responde las oraciones.

¿Corre el perrito?   sí   no

¿Está en su camita?   sí   no

¿Es rosada la camita?   sí   no

La peluca de Rita

por Dafne Davidson

ilustrado por Stephen Lewis

¿Se mete Rita al agua con
su peluca?

No. Rita teme.

¿Se mete Roli?

Sí. Roli no teme.

Rita se mete con su peluca.

Pero su peluca está seca.

Ahora Rita no teme.

¡Rita se mete sin Roli!

¡Qué fabuloso!

Roli anima a Rita.

¡Rita se anima! Todos se meten.

¿Qué le pasa a su peluca?

Rita se aburre de su peluca.
¡Rita toma una peluca rosada!

TEKS 1.22D(i) familiarizarse con palabras que contienen una /r/ fuerte; 1.22D(ii) familiarizarse con palabras que contienen una /r/ suave

Decodificar

Leamos juntos

Lee con atención Lee este cuento:

Rolo es un perro. Tiene mucha modorra. Rita es un marrano. Ama el barro. Rolo y Rita son amigos. ¡Y es una risa!

Piensa ¿Crees que leíste todas las palabras correctamente? ¿Cómo lo sabes? Cuando te encuentras con una palabra difícil... ¿cómo puedes hacer para leerla bien? Vuelve a leer el cuento.

105

Fonética

Palabras con r inicial y palabras con rr Lee las siguientes palabras. Luego completa las tres oraciones usando las palabras de la caja.

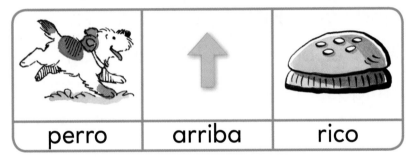

perro	arriba	rico

1. Mi mamá cocina muy

   _____.

2. Mi _____ Roco es bonito
   y mimoso.

3. La habitación de Rita está

   _____.

Le arrebata la patata

por Dafne Davidson
ilustrado por Gina Freschet

Roco está en su cama fina.

Se acurruca con un patito.

¿Qué le ocurre a Roco?
¡No tiene ni una patata!

Roco sale sin patatas.
¡Pero Burro tiene patatas!

Roco mete una por una.

Rina no tiene ni un poco.

Rina le pide patata a Burro.

¡Pero Roco arrasa!

—Hay patatas para todos —dice
Burro.

A Roco le encanta la patata.
Roco come. ¡Qué rico!

Palabras impresas

Palabras habladas   Recuerda que las palabras impresas son una manera de mostrar lo que se dice.   Lee lo que dice Roco:

Dibuja y escribe   Haz un dibujo de ti mismo hablando con un miembro de tu familia acerca de tu comida favorita.   Escribe lo que le dirías.

Fonética

Palabras con r inicial y palabras con rr   Lee las sílabas de izquierda a derecha. Escribe en una hoja las palabras que forman y léelas en voz alta. Luego, completa las oraciones usando una palabra por vez.

1. El carro de Roli es muy _____.

2. Rita _____ su bote con su amiga.

3. El _____ come su comida fabulosa en el barro.

rá	pi	do
a	ma	rra
ma	rra	no

¡Corre, corre, corre!

por Dafne Davidson

Rino va al terreno corriendo.
¡Para la pelota con
un solo pie!

Rosa patina con su mamá.
Patina cada día.

Rolo patina con un palo.
Renato patina a su lado.

Ahora Terri está con su mamá.
Este día no reposa.

Pati corre en la carrera.
Rafi corre en la carrera.

Rudi patina con su papá.
¿Qué tiene en su mano?

Palabras

Leamos juntos

Palabras de uso frecuente Trabaja con un compañero para escribir estas palabras de uso frecuente en tarjetas. Debe haber dos juegos de tarjetas con las mismas palabras:

> cada día ahora en sin pero

Juego de la memoria Pon las tarjetas boca abajo en la mesa. Túrnate con tu compañero para elegir dos tarjetas. Lee las palabras. Si las palabras son iguales, puedes quedártelas. Si no, debes devolverlas a la mesa boca abajo.

Fonética

Lee para repasar Usa lo que sabes sobre los sonidos y las letras para leer las palabras.

Palabras con m y palabras con p

mapa	mamá	Mimo	puma
Papá	Pipo	pomo	Pepe

Palabras con s y palabras con t

sopa	sapo	tomo	patata
pata	pesa	tapa	suma

Palabras con ca, co, cu y palabras con n

cuna	cama	cosa	mano
canino	pena	Paco	casa

122

Fonética

Lee para repasar Usa lo que sabes sobre los sonidos y las letras para leer las palabras.

Palabras con b, con l y con f

banana	limonada	fila	lana
cola	bola	lobo	abanico

Palabras con r inicial y con rr

arriba	ratita	arrebata	rana
rosado	marrano	carreta	risa

Formar y leer palabras Ordena las sílabas para formar palabras.

mo	re	ma	ba
le	ta	na	na

Listas de palabras

Para usar con
"Un buen amigo"

SEMANA 1

Mamá y Memo

página 2

Palabras decodificables
Destreza clave: Sílabas abiertas con
m y **p**;
Mamá, Memo, mima, Momo, me
Destrezas enseñadas anteriormente: a

Palabras de uso frecuente
Nuevas:
y, mi

Pipo y Momi

página 10

Palabras decodificables
Destreza clave: Sílabas abiertas con
m y **p**;
Pipo, Momi

Palabras de uso frecuente
Nuevas:
es, y

Mimi, Pepe y Pupi

página 18

Palabras decodificables

Destreza clave: Repasar sílabas abiertas
con **m** y **p**;
Mimi, Pepe, Pupi

Palabras de uso frecuente

Nuevas:
amigo, es, mi

Para usar con
"La tormenta"

Tete y Sisu

página 26

Palabras decodificables

Destreza clave: Sílabas abiertas con **s** y **t**
eso, Tete, Sisu, pesa, sí

Destrezas enseñadas anteriormente:
mapa, pesa, mima

Palabras de uso frecuente

Nuevas:
mira

Enseñadas anteriormente:
es

Toma, Tita

página 34

Palabras decodificables

Destreza clave: Sílabas abiertas con **s** y **t**
sí, Tita, toma

Destrezas enseñadas anteriormente:
Tete, toma

Palabras de uso frecuente

Nuevas:
mira, dice

Pasa, pasa

página 42

Palabras decodificables

Destreza clave: Sílabas abiertas con **s**, **t**, **m** y **p**

pasa, Pati, Pepito, Tami, Tati, Tita

Destrezas enseñadas anteriormente:
Papo, pasa, Pati, Pepito, Pupo, Tami

Palabras de uso frecuente

Nuevas:
qué, mira

Enseñadas anteriormente:
y, con

Coco y Nono

página 50

Palabras decodificables
Destreza clave: Sílabas abiertas con
c y **n**
Coco, Nono, pone, una, camita, cama

Destrezas enseñadas anteriormente:
cama, camita, meta, pasó, se

Palabras de uso frecuente
Nuevas:
muy

Enseñadas anteriormente:
es, una, y, qué

Nino no se anima

página 58

Palabras decodificables
Destreza clave: Sílabas abiertas con
c y **n**
anima, come, cosa, mona, música,
Nino, no, toca, Toni, una

Destrezas enseñadas anteriormente:
cosa, música, pasa, se, sí,
toca, Toni

Palabras de uso frecuente
Nuevas:
muchos, muy, un

Enseñadas anteriormente:
amigo, con, una, y, qué

¡Qué cómico!

página 66

Palabras decodificables

Destreza clave: Sílabas abiertas con
c y **n**
anima, camina, camisa, Canino,
cómica, cómico, cosa, mona, no, Tina,
Tino

Destrezas enseñadas anteriormente:
así, camisa, cosa, mete, se, sopa, su,
tapa, Tina, Tino, tomate

Palabras de uso frecuente

Nuevas:
muy

Enseñadas anteriormente:
amigo, es, una, y

Yo soy tu amigo

página 74

Palabras decodificables

Destreza clave: Sílabas abiertas con **b, l** y **f**

Alina, Benito, Beto, Camilo, Catalina, Elena, fabuloso, Fela, Felipe, Lalo, Leni, Leti, Lina, Lupe, Otelo

Destrezas enseñadas anteriormente:
Alina, Benito, Camilo, casa, Catalina, Cati, Elena, Lina, mamá, mano, mi, Paco, pasa, saco

Palabras de uso frecuente

Nuevas:
soy, gusta

Enseñadas anteriormente:
amigo, con, es, está, mi, qué, un, y

La pelota

página 82

Palabras decodificables

Destreza clave: Sílabas abiertas con **b, l** y **f**

Acabó, base, bate, bebe, Beto, fina, la, Lino, lisa, maleta, pelota

Destrezas enseñadas anteriormente:
acabó, casi, fina, Lino, saca, se, su, toca

Palabras de uso frecuente

Nuevas:
de, bien, gusta

Enseñadas anteriormente:
qué, un, una, está

Lolo y Bebo

página 90

Palabras decodificables

Destreza clave: Sílabas abiertas con **b, l** y **f**
bebe, Bebo, cabe, fabulosa, la, Lolo, sofá, sube, no

Destrezas enseñadas anteriormente:
cama, camita, come, me, mete, meto, mí, no, se, su

Palabras de uso frecuente

Nuevas:
bien, en

Enseñadas anteriormente:
con, y, está

SEMANA 5

La peluca de Rita

página 98

Palabras decodificables
Destreza clave: Sílabas abiertas con **r** inicial y **rr**
aburre, Rita, Roli, rosada

Destrezas enseñadas anteriormente:
anima, fabuloso, mete, no, pasa, peluca, Roli, se, seca, sí, su, teme, toma

Palabras de uso frecuente
Nuevas:
todos, al

Enseñadas anteriormente:
con, de, está, qué, una

Le arrebata la patata

página 106

Palabras decodificables
Destreza clave: Sílabas abiertas con **r** inicial y **rr**
acurruca, arrasa, arrebata, Burro, ocurre, rico, Rina, Roco

Destrezas enseñadas anteriormente:
cama, come, fina, mete, ni, no, patata, patito, pide, poco, sale, se

Palabras de uso frecuente
Nuevas:
hay, todos

Enseñadas anteriormente:
con, está, qué, un, una, para, dice, en

¡Corre, corre, corre!

página 114

Palabras decodificables

Destreza clave: Sílabas abiertas con **r** inicial y **rr**

carrera, corre, Rafi, Renato, reposa, Rino, Rolo, Rosa, Rudi, terreno, Terri, lado

Destrezas enseñadas anteriormente:
lado, mamá, palo, patada, patina, pelota, sale, sola, su

Palabras de uso frecuente

Nuevas:
va, al

Enseñadas anteriormente:
con, está, qué, un, una

133